LES ÉNIGMES DE L'HISTOIRE

CHEVALIERS AU COMBAT

TIMOTHY KNAPMAN

petit homme
Une société de Québecor Média

Design de la couverture : Punch Bowl Design
Illustrations : Andrea Da Rold
Crédits iconographiques :
Shutterstock : BVO, 33 ; Antonio Abrignani,
36 ; Jorisvo, 38 ;
istock : Linda Steward, 27

Traduction : Paulette Vanier
Infographie : Chantal Landry
Correction : Caroline Hugny

Conçu et réalisé par
QED Publishing
A Quarto Group company
230 City Road, London EC1V 2TT
www.qed-publishing.co.uk

Édition originale parue sous le titre
Medieval Mayhem

Pour la traduction française :
© 2014 Les Éditions Petit Homme,
division du Groupe Sogides inc.,
filiale de Québecor Média inc.
(Montréal, Québec)

05-14

Dépôt légal : 2014
Bibliothèque et Archives nationales
du Québec
ISBN 978-2-924025-76-5

Imprimé et relié en Chine

Gouvernement du Québec – Programme de crédit d'impôt pour
l'édition de livres – Gestion SODEC
www.sodec.gouv.qc.ca
L'Éditeur bénéficie du soutien de la Société de développement des
entreprises culturelles du Québec pour son programme d'édition.

DISTRIBUTEUR EXCLUSIF :
Pour le Canada et les États-Unis :
MESSAGERIES ADP inc*
2315, rue de la Province
Longueuil, Québec J4G 1G4
Téléphone : 450-640-1237
Télécopieur : 450-674-6237
Internet : www.messageries-adp.com
*   filiale du Groupe Sogides inc.,
    filiale de Québecor Média inc.

Conseil des Arts   Canada Council
du Canada   for the Arts

Nous remercions le Conseil des Arts du Canada de l'aide accordée à
notre programme de publication.
Nous remercions le gouvernement du Canada de son soutien financier
pour nos activités de traduction dans le cadre du Programme national
de traduction pour l'édition du livre.
Nous reconnaissons l'aide financière du gouvernement du Canada par
l'entremise du Fonds du livre du Canada pour nos activités d'édition.

Comment commencer ton aventure

Es-tu prêt pour une aventure fabuleuse dans laquelle tu devras affronter des ennemis mortels, survivre à des dangers terribles et résoudre des énigmes diaboliques ? Alors, tu es au bon endroit !

Chevaliers au combat n'est pas un livre ordinaire : tu ne liras pas les pages dans l'ordre chronologique. Tu devras plutôt sauter des pages ou retourner en arrière à mesure que les défis se présenteront à toi. Tu te perdras peut-être, mais l'histoire te ramènera toujours là où tu dois être.

L'histoire commence à la page 4, où se trouvent des questions auxquelles répondre et des énigmes à résoudre. Choisis la réponse qui te semble la bonne.
Par exemple :

SI TU CROIS QUE A
EST LA BONNE RÉPONSE,
VA VOIR À LA **PAGE 37**

SI TU CROIS QUE B
EST LA BONNE RÉPONSE,
VA VOIR À LA **PAGE 13**

Si tu crois que A est la bonne réponse, reporte-toi à la page 37 et recherche le même symbole en bleu. C'est là que tu trouveras la partie suivante de l'histoire.

Si tu choisis la mauvaise réponse, le texte t'expliquera où tu t'es trompé et t'offrira la possibilité de recommencer.

Les problèmes présentés dans ce livre portent sur la vie au Moyen Âge. Pour les résoudre, tu dois faire appel à tes connaissances historiques et à ton bon sens. Le glossaire de la page 44 et des suivantes t'y aidera.

Es-tu prêt ?
Tourne la page et lance-toi dans l'aventure !

BIENVENUE AU

MOYEN ÂGE

Tu es le meilleur chevalier du roi et c'est ton rôle d'assurer sa sécurité. Ce n'est pas une tâche facile étant donné que plusieurs souhaiteraient le voir mort afin de prendre sa place !

SI TU ES PRÊT À RELEVER LE DÉFI, RENDS-TOI HARDIMENT À LA **PAGE 23.**

Non. Un chaudron est une grande casserole qui sert à cuire les aliments sur le feu. On croyait que les sorcières y préparaient leurs potions.

RETOURNE
À LA **PAGE 20**
ET RÉESSAIE

Tout juste ! Les moines vivent dans un monastère. Tu t'y rends aussi vite que tu le peux. Le supérieur t'accueille et tu lui confies l'objet de ta quête.

Je te donnerai ce que tu cherches si tu peux me prouver que tu es un homme de savoir. Quelle langue emploie-t-on durant l'office religieux ?

LE LATIN.
VA À LA
PAGE 12

LE GREC.
VÉRIFIE À LA
PAGE 31

Tout juste ! Ce sont des armoiries. Les hérauts veillent à ce qu'il n'y ait jamais deux chevaliers arborant les mêmes couleurs et symboles. La foule applaudit alors que tu te rues vers ton adversaire. Tu dois le faire tomber de son cheval. Raté ! Encore deux tentatives... Tu essaies à nouveau, mais il réussit presque à te toucher... Tu le frappes à la poitrine avec une telle force que ta lance se brise. Mais il est toujours à cheval !

La foule s'emballe et scande : « Deuxième partie,
deuxième partie, deuxième partie ! »

« Quelle est la prochaine partie ? » demande ton écuyer.

Que réponds-tu ?

VOUS JOUTEZ JUSQU'À
CE QUE L'UN DE VOUS
TOMBE DE CHEVAL.
VÉRIFIE À LA PAGE 18

VOUS JOUTEZ
JUSQU'À CE QUE L'UN
DE VOUS MEURE.
VA À LA PAGE 26

VOUS COMBATTEZ
À PIED.
VA À LA PAGE 39

Non. La variole causait des boutons et des cloques.

RETOURNE À LA **PAGE 41** ET RÉESSAIE

 Non. C'est un bouffon. Il raconte des histoires, jongle et fait de l'acrobatie.

RETOURNE À LA **PAGE 25** ET FAIS UN AUTRE CHOIX

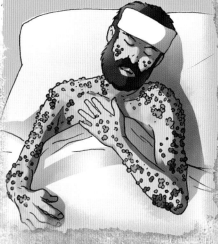

 Les chevaliers ne portent pas d'armures de différentes couleurs.

RETOURNE À LA **PAGE 42** ET RÉESSAIE

 La hache de guerre est une grosse arme lourde qu'on peut difficilement faire tourner dans un petit espace. On te mettrait en pièces avant que tu puisses attaquer.

RETOURNE À LA **PAGE 40** ET FAIS UN NOUVEAU CHOIX

Tu donnes au roi le remède et, en quelques minutes, son visage retrouve sa couleur normale. Tu lui as sauvé la vie ! Tu lui racontes ensuite ce que tu as appris.

Nous punirons le baron Roderick pour ce qu'il a fait. Comme son château est bien défendu, nous devons disposer des meilleures armes de siège. Lesquelles devrions-nous prendre ?

UN CANON.
VA À LA PAGE 18

UN ONAGRE.
VA À LA PAGE 28

UN TRÉBUCHET.
VA À LA PAGE 14

 Tes archers pourraient rater l'ennemi et toucher tes hommes ; ils sont trop proches !

RETOURNE À LA PAGE 16 ET REPENSES-Y

 Non. Tu n'as encore rien fait pour mériter une médaille.

RETOURNE À LA PAGE 39 ET FAIS UN AUTRE CHOIX

 Oui, tu gagnes l'armure de ton adversaire ! Le baron Roderick repart en trombe vers le château, en marmonnant qu'il n'a jamais aimé les samedis. Tu espères qu'il se calmera avant la fête de ce soir. Entre-temps, tu vas aux cuisines inspecter la nourriture du roi, car plusieurs de ses ennemis voudraient bien l'empoisonner le jour de son anniversaire.

Quelque chose ne va pas. Quel aliment n'a pas sa place ici ?

LES MERLES CUITS EN TOURTE. **VA À LA PAGE 20**

LE BROCHET DANS UNE SAUCE À LA CANNELLE ET AU CITRON. **VA À LA PAGE 16**

LE SANGLIER RÔTI AVEC COMPOTE DE POMME. **VA À LA PAGE 28**

C'est lui ; un ménestrel est un musicien. Tu le poursuis mais il t'échappe. On amène le roi à sa chambre à coucher. Tu suis afin d'apporter ton aide, au besoin. Le médecin du roi arrive.

Je dois éliminer le poison. Apporte-moi le remède drainant qui est sur la table.

Que lui donnes-tu ?

UN POT DE SANGSUES.
VA À LA **PAGE 43**

UNE BOUTEILLE DE VIN.
VA À LA **PAGE 13**

UN COUTEAU À TRÉPANER.
VA À LA **PAGE 19**

DE LA MANDRAGORE.
VA À LA **PAGE 38**

L'arc est une arme puissante qui a permis de remporter de nombreuses batailles mais est inutile dans le corps à corps.

RETOURNE À LA PAGE 40 ET PRENDS UNE AUTRE ARME

Tout juste ! le latin était la langue universelle de l'Église catholique. La Bible était traduite en latin et tous les offices religieux se faisaient dans cette langue.

Dans notre monastère, nous gardons les ossements d'un saint. Des gens viennent de très loin pour les voir et prier le saint. Comment les appelle-t-on ?

DES TOURISTES ? VA À LA **PAGE 21**

DES PÈLERINS ? VA À LA **PAGE 32**

DES FRÈRES ? VÉRIFIE À LA **PAGE 27**

L'épieu et la lance
sont inutiles dans un
corps à corps. On
s'en sert à cheval.

**RETOURNE
À LA PAGE 39
ET REPENSES-Y !**

 On se servait de vin
pour nettoyer les plaies
mais pas comme
antidote.

**RETOURNE
À LA PAGE 11
ET RÉESSAIE**

 Non. Merlin était l'ami et
le magicien du grand roi.

**RETOURNE
À LA PAGE 17
ET RÉESSAIE**

 Non. Tu frapperais le mur
plutôt que le baron !

**RETOURNE À
LA PAGE 31
ET REPENSES-Y**

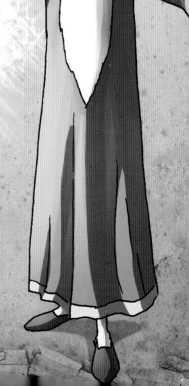

Exact! Le trébuchet lancera d'énormes pierres contre les murailles du château et les anéantira. Tu conduis une armée au château du baron Roderick. Il est bien défendu et le baron refuse de capituler.

Nous devons prendre le donjon!

Quelle partie du château est-ce?

LA FORTERESSE DE
PIERRE. VA VOIR
À LA **PAGE 26**

LE TERTRE DE TERRE
AU MILIEU DU CHÂTEAU.
VA À LA **PAGE 39**

L'ENDROIT OÙ VIVENT
LES SERVITEURS.
VA VOIR À LA **PAGE 20**

LE FOSSÉ
REMPLI D'EAU.
VA À LA **PAGE 30**

Le brochet était un mets populaire au Moyen Âge ; on le servait avec cette sauce épaisse.

RETOURNE À LA **PAGE 10** ET REPENSES-Y !

À sept ans, tu es devenu page, ou apprenti écuyer. Tu as servi le roi et n'a été fait écuyer que quand il a jugé que tu le méritais.

RETOURNE À LA **PAGE 19** ET RÉESSAIE

Tu donnes l'ordre aux hommes de défoncer les lourdes portes en bois du donjon à l'aide d'un bélier. Les archers du baron Roderick tirent des flèches. D'autres hommes lancent des pierres et versent de l'eau chaude sur vous depuis les meurtrières, ouvertures percées dans les murs. Comment protéger tes hommes ?

EN COMMANDANT À TES ARCHERS DE TIRER. VA À LA **PAGE 10**

EN LES COUVRANT AU MOYEN D'UN ENGIN DE SIÈGE. VA À LA **PAGE 40**

EN BATTANT EN RETRAITE. VA À LA **PAGE 19**

Exact. Les paysans travaillent la terre
afin de nourrir les gens. Tu frappes à la
porte et une vieille femme répond. Tu lui
expliques que tu es le chevalier du roi
et que tu as besoin de son aide.

Avant de te laisser entrer,
je vais te poser quelques questions pour
m'assurer que tu es bien un chevalier.
Première question : quel est le nom du grand
roi légendaire dont les chevaliers
s'asseyaient à une table ronde ?

LANCELOT ?
VA À LA **PAGE 26**

MERLIN ?
VA À LA **PAGE 13**

ARTHUR ?
VA À LA **PAGE 39**

Non. Tu avais trois chances de faire tomber Geoffrey de son cheval. Pour gagner le tournoi, tu dois relever un autre défi.

RETOURNE À LA PAGE 7 ET ESSAIE DE NOUVEAU

 Tout juste ! Un chevalier a aussi été frappé derrière le cou par une épée. Aïe !

Et finalement, quel est le code que tous les chevaliers doivent respecter ?

LE CODE DE CHEVALERIE. VA À LA PAGE 27

LE CODE DU ROI. VA À LA PAGE 36

 Au Moyen Âge, charger les canons était long et on avait du mal à viser une cible précise.

RETOURNE À LA PAGE 9 ET FAIS UN AUTRE CHOIX

18

Non. On se servait du couteau à trépaner pour percer un trou dans le crâne. On croyait faire ainsi sortir le démon de la tête d'un dément.

RETOURNE
À LA **PAGE 11**
ET RÉESSAIE

 La retraite est hors de question. Le roi veut que tu vainques le baron Roderick !

RETOURNE
À LA **PAGE 16**
ET CHOISIS UNE AUTRE RÉPONSE

C'est un palefroi qu'il te faut ; il est rapide et peut couvrir de grandes distances. Ton écuyer choisit un roncin pour lui-même. Il selle les deux chevaux et vous partez aussitôt. Au bout de plusieurs heures, vous vous arrêtez pour prendre une pause.

Sire, j'espère devenir un chevalier comme vous. Quel âge aviez-vous quand vous avez été fait chevalier ?

Quelle est ta réponse ?

21 ANS.
VA À LA
PAGE 20

14 ANS.
VA À LA
PAGE 33

7 ANS.
VA À LA
PAGE 16

 La tarte n'était pas censée être mangée. Une fois coupée, des merles s'en envolaient, pour le plus grand plaisir du roi et de ses convives.

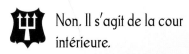 Non. Il s'agit de la cour intérieure.

RETOURNE À LA **PAGE 10** ET ESSAIE UNE AUTRE RÉPONSE

 Oui, tu as été nommé chevalier à 21 ans, à l'issue de 7 ans d'entraînement. Enfin, tu arrives à la ville de l'apothicaire. Tu dois trouver rapidement sa maison. Tu t'informes auprès d'une passante.

« Tu ne devrais pas y aller. Nous pensons que l'apothicaire pratique la sorcellerie. Les gens disent qu'elle a un démon familier. Tu sais ce que c'est ? »

UN CHAT. VA À LA **PAGE 30**

UN BALAI. VA À LA **PAGE 37**

UN CHAUDRON. VA À LA **PAGE 5**

20

Non. Les gens n'avaient ni temps ni argent pour des vacances.

RETOURNE À LA **PAGE 12** ET RÉESSAIE

Les flèches enflammées n'incendieraient que quelques bâtiments en bois de la cour intérieure.

RETOURNE À LA **PAGE 26** ET REPENSES-Y

Exact ! Tu dois d'abord combattre à l'épée puis à la hache. Pour gagner, tu dois frapper ton adversaire, mais les lames ne perceront pas son armure. Geoffrey ne fait pas le poids contre toi. Tu le désarmes de quelques mouvements rapides et le fais trébucher si bien qu'il atterrit dans la boue. Il s'avoue vaincu. Le baron est furieux !

Le roi te dit de choisir ton prix. Que demandes-tu ?

LE CHEVAL DU ROI. VA À LA **PAGE 38**

L'ARMURE DE TON ADVERSAIRE. VA À LA **PAGE 10**

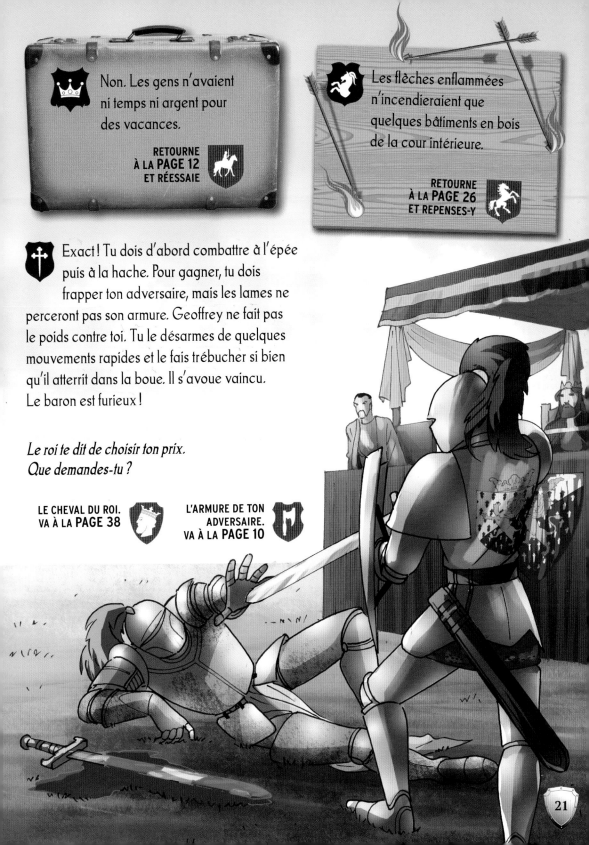

Tout juste ! De par la loi, les fermiers devaient donner le dixième (la dîme) de ce qu'ils cultivaient à l'Église en guise de taxe. Les denrées étaient entreposées dans une grange spéciale.

Ton écuyer apporte de la nourriture et de l'eau. Tu le rencontres aux étables.

Quel cheval choisis-tu pour ton long voyage ?

UN DESTRIER ?
VA À LA
PAGE 41

UN RONCIN ?
VA À LA
PAGE 28

UN PALEFROI ?
VA À LA
PAGE 19

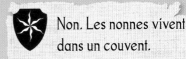 Aujourd'hui, samedi, c'est l'anniversaire du roi. L'invité d'honneur est le baron Roderick, un homme fourbe et puissant. Il a sous ses ordres une grande armée, qui est vitale pour le roi. Mais tu le soupçonnes d'avoir un œil sur le trône...

Le roi organise un tournoi. Ton adversaire sera sire Geoffrey, le meilleur jouteur du baron Roderick. D'abord, tu dois t'habiller pour le tournoi. Ton écuyer, un jeune garçon qui te sert, est nouveau et n'a pas terminé son apprentissage.

 Non. Les nonnes vivent dans un couvent.

RETOURNE À LA PAGE 29 ET ESSAIE DE NOUVEAU

 Non. C'est trop dangereux. Il y a des archers là-haut, prêts à tirer sur toi.

RETOURNE À LA PAGE 37 ET REPENSES-Y

> Quelle armure désirez-vous porter pour le tournoi, sire ?

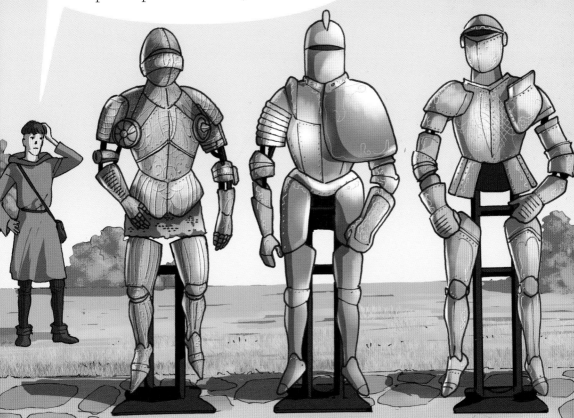

L'ARMURE A. VA À LA PAGE 38

L'ARMURE B. VA À LA PAGE 42

L'ARMURE C. VA À LA PAGE 31

Le page sert le repas au roi et la fête est une réussite. Quand tous ont mangé, les divertissements commencent. Il y a des musiciens, des danseurs et des jongleurs partout.

Tout à coup, la reine pousse un cri. Le visage du roi est rouge et il agrippe sa gorge !

« Le roi a été empoisonné. C'est le ménestrel. Emparez-vous de lui ! » ordonne la reine.

Tu tires ton épée,
mais lequel de
ces hommes est
le ménestrel ?

HOMME 1.
TU TROUVERAS
LA RÉPONSE À

LA PAGE 30

HOMME 2.
VA VOIR À LA PAGE 8

HOMME 3.
VA VOIR À LA PAGE 11

 Non. Lancelot était un grand chevalier, mais pas un roi.

RETOURNE À LA **PAGE 17** ET REPENSES-Y

Les tournois peuvent s'avérer mortels, mais ce sont avant tout des concours, certes pas des luttes à mort.

RETOURNE À LA **PAGE 7** ET RÉESSAIE

 Tout juste ! Le donjon est l'endroit le plus sûr du château. Il faut une bonne planification pour réussir à le prendre.

Le trébuchet lance des pierres contre les murailles extérieures, mais celles-ci sont robustes et résistent.

Le roi dit qu'il est temps de miner. Que veut-il que tu fasses ?

CREUSER DES TUNNELS SOUS LES MURAILLES ET Y INSTALLER DES EXPLOSIFS. VA VOIR À LA **PAGE 37**

ATTENDRE QUE LES RÉSERVES DU BARON RODERICK S'ÉPUISENT. VA VOIR À LA **PAGE 42**

LANCER DES FLÈCHES ENFLAMMÉES VERS LE CHÂTEAU. VA À LA **PAGE 21**

Oui. Le code de chevalerie. Il précise que les chevaliers doivent se montrer braves sur le champ de bataille, et traiter équitablement leurs ennemis. L'apothicaire te fait confiance. Tu lui décris les symptômes du roi et elle commence aussitôt à préparer un remède.

Les frères, des hommes religieux, voyageaient, mais pas seulement pour voir les ossements des saints.

RETOURNE À LA **PAGE 12** ET ESSAIE DE NOUVEAU

Mais il manque un ingrédient, une plante que seuls les saints hommes vivant là-bas possèdent. Le prêtre du prochain village t'y mènera. Trouve-le, mais hâte-toi !

TU RENVOIES TON ÉCUYER RAPPORTER LES NOUVELLES AU CHÂTEAU ET TU CONTINUES JUSQU'AU PROCHAIN VILLAGE À LA **PAGE 41**

27

L'onagre, qui tire son nom d'un âne sauvage au puissant coup de patte, permet de lancer des roches contre les murs du château, mais tu pourrais choisir une arme plus récente et plus mortelle.

RETOURNE À LA PAGE 9 ET FAIS UN AUTRE CHOIX

Le roncin est un bon cheval, mais seuls les écuyers et les chevaliers pauvres le montent.

RETOURNE À LA PAGE 22 ET CHOISIS-EN UN AUTRE

Tout juste. Non pas parce que c'est dangereux mais parce que l'Église interdit la viande les mercredis, vendredis et samedis durant le Carême et l'Avent. Même le roi doit obéir. Il faut tout de même t'assurer que sa nourriture n'est pas empoisonnée. Tu goûtes tous les plats. Heureusement, ils sont sans danger et tu es toujours en vie ! Ouf !

TU FERAIS MIEUX DE TE PRÉPARER POUR LA FÊTE, PAGE 24

Exact! La peste bubonique est connue aussi sous le nom de « mort noire ».

« Je dois le trouver à tout prix », dis-tu à la femme.

« Va voir à l'église », répond-elle.

Tu trouves rapidement l'église. Comme la porte est ouverte, tu entres.

N'avance pas !
J'ai la maladie !

Tu expliques au prêtre la raison de ta venue.

Prends la carte sur le mur. Va voir les moines et dis-leur que c'est moi qui t'envoie.

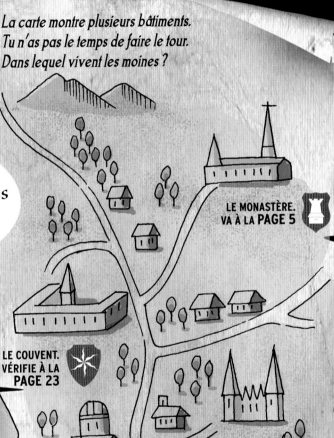

La carte montre plusieurs bâtiments. Tu n'as pas le temps de faire le tour. Dans lequel vivent les moines ?

LE MONASTÈRE. VA À LA PAGE 5

LE COUVENT. VÉRIFIE À LA PAGE 23

LA CATHÉDRALE. VA À LA PAGE 36

Exact! Au Moyen Âge, on croyait que les sorcières gardaient des chats, des crapauds et d'autres petites créatures, convaincues que des esprits mauvais étaient tapis dans leur corps. Comme tu ne crois pas aux sorcières, demande au garçon où vit l'apothicaire.

Non. Ce sont les douves la première ligne de défense du château.

RETOURNE À LA **PAGE 15** ET RÉESSAIE

Non. C'est un page. Il doit apporter le manger et le boire au roi et à ses invités.

RETOURNE À LA **PAGE 25** ET RÉESSAIE

L'apothicaire vit dans une masure de paysan aux limites de la ville. Tu sais ce qu'est un paysan, n'est-ce pas ?

UN OUVRIER AGRICOLE PAUVRE. VA À LA **PAGE 17**

UN CUISINIER. VA À LA **PAGE 42**

Non. C'est une armure de bataille. Elle est plus souple pour le combat à l'épée mais te protégera mal contre la lance de ton adversaire.

RETOURNE À LA **PAGE 23** ET FAIS UN AUTRE CHOIX

On parlait le grec dans l'Église orthodoxe orientale mais pas dans l'Église catholique occidentale.

RETOURNE À LA **PAGE 5** ET RÉESSAIE

Tout juste. La petite épée paraît anodine, mais c'est ce dont tu as besoin. Elle est rapide et efficace dans un petit espace, quand on doit faire face à de nombreux ennemis. Tu combats, jetant à terre tout soldat se trouvant sur ton chemin. En bas de l'escalier, tu te trouves face à face avec le baron Roderick. Il lève son épée en signe de combat.

Rappelle-toi que tu es au-dessus de lui dans un escalier en colimaçon. Dans quelle main devrais-tu tenir ton épée pour le combattre ?

LA GAUCHE. VA À LA PAGE 13

LA DROITE. VA À LA PAGE 34

Tout juste. C'était des pèlerins. Les gens croyaient que s'ils visitaient les lieux saints, Dieu leur pardonnerait leurs mauvaises actions.

L'abbé te montre où trouver la plante. Tu l'ajoutes à la mixture de l'apothicaire et files comme le vent vers le château.

Tu y es presque quand un mendiant te fait signe.

J'étais le ménestrel du roi, mais le baron Roderick m'a dit de quitter le château tout de suite, sinon il m'enfermerait dans le donjon. Un de ses hommes a pris ma place et empoisonné le roi.

FILE AU CHÂTEAU POUR SAUVER LE ROI ET LUI RÉVÉLER LA VÉRITÉ, À LA **PAGE 9**

La massue et le marteau de guerre peuvent tuer ton adversaire, ce que tu ne souhaites pas faire.

RETOURNE À LA **PAGE 39** ET RÉESSAIE

Les chevaliers ne portent pas tous un plumet à leur casque lors des joutes.

RETOURNE À LA **PAGE 42** ET REPENSES-Y

À 14 ans, tu commençais tout juste ton entraînement d'écuyer.

RETOURNE À LA **PAGE 19** ET RÉESSAIE

Exact ! Comme moyen de défense, les escaliers en colimaçon tournaient à droite. On tenait habituellement les armes dans la main droite. En descendant l'escalier, on pouvait donc utiliser la sienne plus facilement que l'assaillant qui y grimpait.

Tu tiens le baron Roderick en respect à la pointe de ton épée et le conduis auprès du roi. On l'enchaîne et les gardes du roi le retiennent.

« Tu es un brave chevalier. Tu m'as sauvé la vie une fois de plus et capturé le traître. Pour cette raison, je te ferai seigneur et te donnerai les terres et la fortune du baron. Félicitations ! »

La nourriture qu'on garde dans une grange à dîme n'est pas destinée aux animaux.

RETOURNE À LA **PAGE 43** ET RÉESSAIE

Le code n'est pas celui du roi, même s'il doit le respecter.

RETOURNE À LA **PAGE 18** ET RÉESSAIE

Non. La cathédrale est une grande église où l'officier du culte est un archevêque.

RETOURNE À LA **PAGE 29** ET RÉESSAIE

Même si l'on croyait que les sorcières volaient la nuit sur un balai, ce n'est pas leur démon familier.

RETOURNE À LA **PAGE 20** ET DONNE UNE AUTRE RÉPONSE

Exact ! Mais c'est dangereux parce que les explosifs sont instables.

Tout fonctionne bien, puis BOUM ! tu perces par-dessous un énorme trou dans la muraille. Tu mènes l'assaut contre le donjon, mais il est doté de murs de pierre épais et de lourdes portes en bois. L'armée attend tes ordres.

Que leur dis-tu ?

DÉFONCEZ LES PORTES À L'AIDE D'UN BÉLIER. VA À LA **PAGE 16**

ESCALADEZ LES MURS. VA À LA **PAGE 23**

Bien que le roi soit content de toi, il serait impoli de lui demander son cheval.

RETOURNE À LA **PAGE 21** ET RÉESSAIE

Non. On croyait que la racine de mandragore avait le pouvoir magique de calmer la douleur et d'endormir les patients.

RETOURNE À LA **PAGE 11** ET RÉESSAIE

C'est une armure de cérémonie. Elle a belle allure mais n'est pas conçue pour le combat et ne te protégera pas.

RETOURNE À LA **PAGE 23** ET FAIS UN AUTRE CHOIX

Non. La fièvre jaune cause de la fièvre, des vomissements et des douleurs musculaires.

RETOURNE À LA **PAGE 41** ET RÉESSAIE

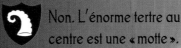 Non. L'énorme tertre au centre est une « motte ».

RETOURNE À LA PAGE 15 ET CHOISIS UNE AUTRE RÉPONSE

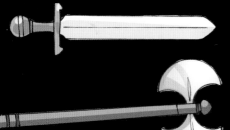 Tout juste ! Tu devras participer à la prochaine partie : deux combats à pied, chaque fois avec une arme différente. Quelles armes choisis-tu ?

L'ÉPÉE ET LA HACHE D'ARMES. VA À LA PAGE 21

LA LANCE ET L'ÉPIEU. VA À LA PAGE 13

LA MASSUE ET LE MARTEAU DE GUERRE. VA À LA PAGE 33

 Exact ! Arthur était le grand roi, mais l'apothicaire a d'autres questions à poser.

Deuxième question : quand on t'a fait chevalier, en quoi consistait la cérémonie ?

ON T'A TAPÉ SUR L'ÉPAULE AVEC UNE ÉPÉE. VA À LA PAGE 18

ON T'A DONNÉ UNE MÉDAILLE. VA À LA PAGE 10

Exact! L'engin de siège est appelé « appentis », structure avec toiture renforcée qui fait dévier les projectiles. Elle est recouverte de peaux de bêtes afin de résister aux flèches enflammées.

Tes hommes démolissent les portes et se précipitent dans le donjon. Les hommes du baron Roderick vous attendent. Comme ce sera un corps à corps, quelle arme choisis-tu ?

UNE HACHE.
VA À LA **PAGE 8**

UN ARC.
VA À LA **PAGE 12**

UNE COURTE ÉPÉE.
VA À LA **PAGE 31**

Non. Le destrier est un cheval de guerre puissant qui ne peut courir longtemps sur de longs trajets.

RETOURNE À LA **PAGE 22** ET FAIS UN NOUVEAU CHOIX

À ton arrivée, le village est étrangement silencieux.

Tu demandes à un passant où tu peux trouver le prêtre.

Tiens-toi loin du prêtre ! Il est couvert de cloques noires et croûtées. Il doit avoir la peste. Sais-tu quel autre nom on donne parfois à cette maladie ?

VARIOLE. VA À LA **PAGE 8**

FIÈVRE JAUNE. VÉRIFIE À LA **PAGE 38**

MORT NOIRE. VA À LA **PAGE 29**

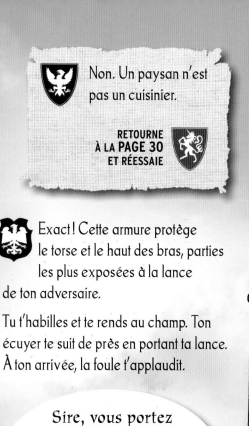

Non. Un paysan n'est pas un cuisinier.

RETOURNE À LA **PAGE 30** ET RÉESSAIE

Affamer l'ennemi est une tactique répandue, mais il faut être prêt à attendre.

RETOURNE À LA **PAGE 26** TROUVE UN AUTRE PLAN

Exact ! Cette armure protège le torse et le haut des bras, parties les plus exposées à la lance de ton adversaire.

Tu t'habilles et te rends au champ. Ton écuyer te suit de près en portant ta lance. À ton arrivée, la foule t'applaudit.

Sire, vous portez un casque. À quoi se fie la foule pour distinguer un chevalier d'un autre ?

Quelle est ta réponse ?

À LA COULEUR DU PLUMET DE SON CASQUE ? VA À LA **PAGE 33**

À LA COULEUR DE SON ARMURE ? VA À LA **PAGE 8**

AUX SYMBOLES FIGURANT SUR SON BOUCLIER ET AU MANTEAU REVÊTANT SON ARMURE ? VÉRIFIE À LA **PAGE 6**

Exact! Au Moyen Âge, certains croyaient que la maladie était causée par un déséquilibre des humeurs (liquides corporels). Ils appliquaient des sangsues qui suçaient le sang des patients, croyant que cela leur redonnerait des forces.

L'apothicaire vit à une journée de distance d'ici. Tu dois te hâter. Va vers le nord jusqu'à la grange dîmière, puis prends à l'est et parcours 50 km. Sais-tu ce qu'est une grange à dîme ?

Tu ne veux pas paraître idiot devant la reine, alors réponds rapidement.

UNE GRANGE OÙ L'ON GARDE LA NOURRITURE DES ANIMAUX. VA À LA **PAGE 36**

UNE GRANGE OÙ ON GARDE LA NOURRITURE PRODUITE POUR L'ÉGLISE. VA À LA **PAGE 22**

43

Glossaire

Abbé
Le moine ou saint homme le plus important d'un monastère.

Apothicaire
Personne qui fabrique des médicaments avec des plantes.

Appentis
Structure de bois munie d'une toiture robuste servant à protéger contre les projectiles. Il était couvert de peaux détrempées afin de résister aux flammes.

Arbalète
Arme tirant de petites flèches courtes et lourdes – appelées carreaux – qui transperçaient l'armure.

Arc
Arme en bois tirant des flèches.

Armoiries
Motif ou image identifiant une famille. Les chevaliers portaient leurs armoiries sur leurs boucliers, leurs bannières et le manteau revêtant leur armure afin de s'identifier mutuellement durant un combat.

Armure
Équipement en métal qui protégeait le corps du chevalier durant le combat.

Canon
Un très gros fusil qui tire de lourds boulets de métal.

Chevalier
Soldat qui servait un roi ou un seigneur. Il portait une armure en métal et combattait à cheval. Un homme devait s'entraîner durant 7 ans avant de devenir chevalier à 21 ans.

Code de chevalerie

Code que tous les chevaliers suivaient et selon lequel ils devaient se montrer braves sur le champ de bataille et traiter équitablement leurs ennemis.

Destrier

Gros cheval puissant employé dans les combats.

Donjon

Forteresse au centre d'un château. Souvent, le roi ou un seigneur y vivait.

Écuyer

Garçon qu'on entraînait pour devenir chevalier. Durant 7 ans, il servait de page à un chevalier et, autour de 14 ans, devenait écuyer si le chevalier jugeait qu'il le méritait. S'il continuait à travailler dur, il deviendrait chevalier à 21 ans.

Église catholique

Organisation qui contrôlait la pratique du christianisme dans l'Europe de l'Ouest au Moyen Âge. Elle indiquait à chacun comment il devait se comporter et, même, ce qu'il devait manger.

Hache d'armes (ou de guerre)

Grosse hache qu'on employait pour porter des coups mortels durant le combat.

Héraut

Personne qui enregistrait les diverses armoiries de sorte qu'il n'y ait jamais deux personnes à porter les mêmes.

Joute équestre

Combat entre deux chevaliers à cheval qui se chargeaient à la lance. Ils pratiquaient ainsi les arts de la guerre et récoltaient des honneurs quand il n'y avait pas de bataille.

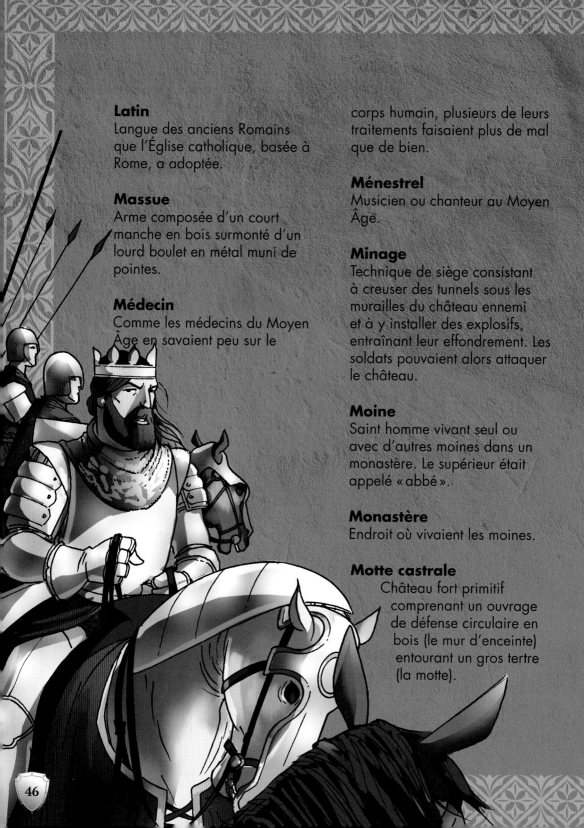

Latin
Langue des anciens Romains que l'Église catholique, basée à Rome, a adoptée.

Massue
Arme composée d'un court manche en bois surmonté d'un lourd boulet en métal muni de pointes.

Médecin
Comme les médecins du Moyen Âge en savaient peu sur le corps humain, plusieurs de leurs traitements faisaient plus de mal que de bien.

Ménestrel
Musicien ou chanteur au Moyen Âge.

Minage
Technique de siège consistant à creuser des tunnels sous les murailles du château ennemi et à y installer des explosifs, entraînant leur effondrement. Les soldats pouvaient alors attaquer le château.

Moine
Saint homme vivant seul ou avec d'autres moines dans un monastère. Le supérieur était appelé « abbé ».

Monastère
Endroit où vivaient les moines.

Motte castrale
Château fort primitif comprenant un ouvrage de défense circulaire en bois (le mur d'enceinte) entourant un gros tertre (la motte).

Moyen Âge

Période de l'histoire européenne allant approximativement de 500 à 1500 ap. J.-C.

Onagre

Catapulte employée pour assiéger un château à l'aide de laquelle on lançait de lourdes pierres contre ses murailles.

Page

Serviteur particulier. Le page d'un chevalier était un jeune garçon en apprentissage pour devenir écuyer mais les pages travaillaient aussi dans les maisons des puissants.

Palefroi

Cheval mince, musclé et rapide qui pouvait courir de longues distances sans se fatiguer.

Peste noire (ou mort noire)

Maladie qui s'est répandue en Europe dans les années 1300, tuant des millions de gens. Elle cause des cloques noires douloureuses sur les jambes, le cou et les aisselles, de même que de la fièvre, des vomissements et du délire.

Roncin

Petit cheval robuste qui était surtout monté par les écuyers et les chevaliers pauvres.

Siège

Encerclement par une armée d'un château ou d'un autre bâtiment défendu, de sorte que nul ne pouvait l'approvisionner en nourriture ou en eau. Les soldats à l'intérieur s'affaiblissaient, facilitant l'attaque de l'armée à l'extérieur.

Trébuchet

Arme massive employée pour attaquer un château et ressemblant à une grosse catapulte qui projetait des pierres contre ses murailles.

Pour aller plus loin

Les livres de la série Les énigmes de l'histoire visent à aider les enfants à acquérir des connaissances historiques et à les appliquer par le biais de récits d'aventures fascinants. Chaque récit les amène à résoudre une série de problèmes alors qu'ils poursuivent l'objet de leur quête.

Les textes des livres ne sont pas présentés dans l'ordre chronologique. Le lecteur saute des pages ou retourne en arrière selon les réponses qu'il aura données aux problèmes à résoudre. Quand sa réponse est bonne, il avance vers une autre partie du récit ; si elle est erronée, on lui explique pourquoi avant de l'inviter à tenter de résoudre à nouveau le problème. Le glossaire à la fin du livre lui fournira une aide additionnelle.

Pour aider votre enfant à acquérir des connaissances historiques, vous pouvez :

- Lire le livre avec lui.

- Résoudre les premières énigmes et découvrir comment fonctionne le jeu.

- Continuer de lire avec votre enfant jusqu'à ce qu'il soit à l'aise avec le mode de fonctionnement du livre et puisse suivre les indications lui permettant d'avancer vers l'énigme suivante ou l'explication en cas de réponse erronée.

- L'encourager à lire seul. Incitez-le à vous raconter comment le récit avance et les énigmes qu'il a résolues.

- Souligner les différences et les similitudes entre la vie qu'on menait au Moyen Âge et celle d'aujourd'hui : ce qu'on portait, mangeait ou comment on s'amusait.

- Échanger avec lui sur ce qui se passerait si quelqu'un vivant au Moyen Âge nous visitait aujourd'hui. Ou si nous remontions le temps pour nous retrouver dans un grand château.

- Tirer parti des nombreuses sources d'information historique : bibliothèques, musées et documentaires. Le Web est une autre source valable : de nombreux sites présentent du matériel destiné spécialement aux enfants. Cependant, assurez-vous de ne visiter que ceux qui sont approuvés par des institutions respectées, telles que les musées et les universités.

Enfin, gardez à l'esprit qu'on apprend mieux quand on y prend plaisir ; faites en sorte que ce soit amusant pour votre enfant d'étudier l'histoire.